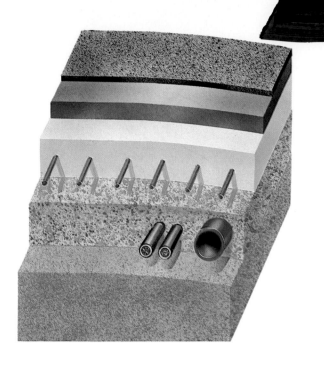

El joven investigador

Estructuras

Terry Jennings

Ilustraciones:

Karen Daws
Sarah De'Ath
Joy Barling Loyla
Chris Molan
Mike Saunders

Traducción del inglés:

Isabel Seriñá

Título original:
The young scientist investigates. Structures
Publicado por Oxford University Press

© Terry Jennings, 1982

© Ediciones S.M., 1986
General Tabanera, 39 - 28044 Madrid

ISBN: 84-348-1915-5
Depósito legal: M. 14747-1986
Fotocomposición: Grafilia, S.L.
Impreso en España / *Printed in Spain*
Imprenta: Edime, Org. Gráfica, S.A. - Móstoles (Madrid)

Distribuidor exclusivo: CESMA, S.A.
Aguacate, 25 - 28044 Madrid

Índice

Estructuras

Estamos rodeados de complicadas estructuras.
Algunas son naturales como las de las plantas,
animales y rocas, y otras están hechas por el
hombre.

Muchas estructuras tienen formas interesantes
y hermosas. Podemos preguntarnos por qué
tienen esa forma, cómo están hechas y por qué
no se vienen abajo. ¿Te has preguntado alguna
vez por qué el aire no tira los árboles o los
edificios altos? ¿Por qué el faro que ves en la
foto de al lado no es arrastrado por el agua
cuando el mar está embravecido? ¿Por qué es
redondeado en vez de tener las esquinas
agudas? ¿Por qué el puente tiene esta forma?
¿Por qué no se derrumba cuando pasa sobre él
un camión pesado? ¿Por qué se mantienen en
pie las paredes de una casa?
¿Por qué se mantiene erguida esta grúa
y levanta pesadas cargas? ¿Por qué tenemos
un esqueleto formado por huesos? Éstas son tan sólo
algunas de las preguntas que intentaremos
responder en este libro.

Animales invertebrados

Todos sabemos cómo es una lombriz al tacto. Toda ella es blanda, pues carece de huesos. Si un gusano queda atrapado entre dos piedras, queda aplastado; y si es aprisionado por el pico de un ave, no tiene salvación posible.

Las medusas y las anémonas de mar tampoco tienen huesos ni protección alguna. Pero la mayoría de los animales tienen esqueletos. En muchos casos, el esqueleto es una concha dura externa que cubre el cuerpo por completo. El cangrejo tiene un esqueleto externo de ese tipo, al igual que la langosta y la cigala. Los insectos y las arañas tienen el cuerpo recubierto por una piel dura.

mejillones

lapas

algas aserradas

medusa común

cangrejo de mar

langosta

actinia roja

Existe un grave problema con estos esqueletos externos. Al ir creciendo, el animal se hace demasiado grande para su caparazón y entonces tiene que mudar su esqueleto. Desde ese momento, y hasta que se le forma el nuevo esqueleto, el animal no tiene defensa, está como la lombriz de tierra o a la medusa; y tiene que esconderse o será comido por otro animal.

Interior de la concha de un caracol

Los caracoles y los crustáceos tienen conchas. Éstas son como un esqueleto exterior. Las conchas se van formando por adiciones al extremo abierto, según va creciendo el animal. De esta forma, el animal está siempre protegido.

Huesos y esqueletos

Muchos animales poseen un esqueleto interior. Este esqueleto está formado por muchos huesos. A los animales que tienen esqueleto óseo interno los llamamos vertebrados. Los hombres somos vertebrados. También lo son los gatos, los perros, los conejos, los caballos, las vacas, los pájaros, las ranas, los sapos, las salamandras, las serpientes, los lagartos, los cocodrilos, los peces, etc. Los esqueletos internos crecen al mismo tiempo que lo hace el animal. Éste nunca crece más que su esqueleto. Por eso no necesitan cambiar de esqueleto de vez en cuando, como los animales de esqueleto externo.

El esqueleto es muy importante por muchas razones, por ejemplo, porque protege varias partes del cuerpo. El cráneo protege el cerebro; el esternón y las costillas protegen el corazón y los pulmones. El esqueleto sostiene el cuerpo y lo mantiene erguido. ¡Imagínate qué aspecto tendrías si alguien te quitara todos los huesos!

Podemos movernos porque el esqueleto tiene articulaciones. Los músculos están fijos a los huesos del esqueleto y tiran de ellos para moverlos cuando queremos. Los huesos largos de nuestros brazos y piernas están huecos. En su interior hay una sustancia llamada médula. La médula fabrica los glóbulos rojos. Si nuestros huesos no estuvieran huecos, serían muy pesados y no podríamos movernos. Un hueso hueco es ligero, pero fuerte.

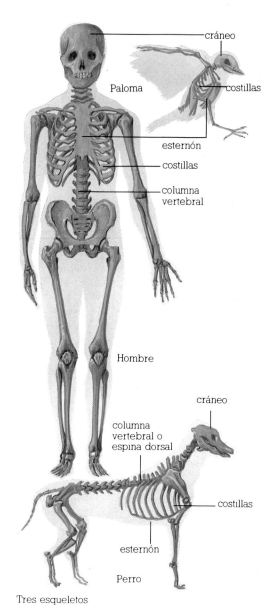

Paloma

cráneo

costillas

esternón

costillas

columna vertebral

Hombre

cráneo

columna vertebral o espina dorsal

costillas

esternón

Perro

Tres esqueletos

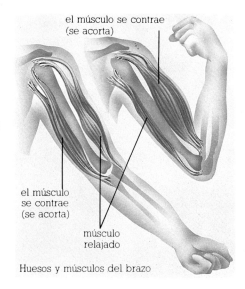

el músculo se contrae (se acorta)

el músculo se contrae (se acorta)

músculo relajado

Huesos y músculos del brazo

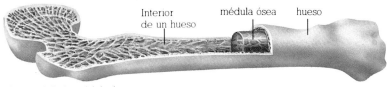

Interior de un hueso

médula ósea

hueso

Cavidad de la médula ósea

Los árboles

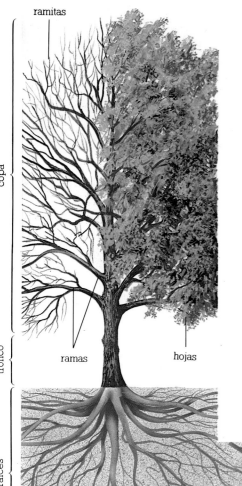

Partes del árbol
ramitas
copa
tronco
raíces
ramas
hojas

Algunos árboles son muy altos. Son las plantas más grandes que existen. Los árboles se balancean cuando sopla muy fuerte el viento, pero no es frecuente que sean arrancados por él.

Los árboles tienen tres partes principales: tronco, copa y raíces. El *tronco* es grueso y leñoso. La *copa* del árbol está formada por las ramas y las hojas. Bajo el árbol, dentro de la tierra, hay un gran número de *raíces* muy extendidas. Éstas casi siempre se extienden más, en el subsuelo, que las ramas en la copa del árbol. Las raíces sujetan el árbol, impidiendo que los vientos fuertes lo tumben. También absorben el agua y las sales minerales del suelo. Las raíces absorben enormes cantidades de agua: las de un roble grande pueden absorber del suelo más de 200 litros de agua cada día.

Sección transversal de un tronco

madera (constituida por tubos diminutos)

corteza

El tronco de un árbol es de madera. El tronco tiene que ser fuerte para aguantar la copa del árbol. Además, el tronco transporta por su interior el agua y las sales minerales, desde las raíces hasta las hojas. El alimento fabricado en las hojas del árbol desciende por el tronco hasta las raíces. Todas estas sustancias, el agua, las sales minerales y el alimento, viajan a través de unos tubos diminutos que hay dentro de la madera del tronco. El tronco está rodeado por la corteza. Ésta protege la parte tierna e interior del árbol.

Cimientos

En el año 1350 se construyó una torre en la ciudad de Pisa, en Italia. La torre se construyó derecha. Ahora está tan inclinada que se la llama «La torre inclinada de Pisa». Se inclina porque no está construida sobre cimientos firmes.

¿Has intentado alguna vez andar sobre una gran capa de nieve o sobre arena seca de playa? Los pies se te hunden. Pero si llevas puestos zapatos especiales para la nieve, no se hundirán. Las raquetas para la nieve reparten tu peso sobre un área más amplia.

Los muros de una casa se levantan sobre una base de hormigón más ancha que ellos. Esto se hace para repartir el peso de los muros sobre una superficie mayor. Si el suelo es blando, la casa debe construirse sobre una base más grande.

Si clavas profundamente un clavo en un trozo de madera, es difícil sacarlo. La razón es que el clavo roza con la madera. Los cimientos de los edificios altos se basan en esta misma experiencia. Se introducen unos enormes postes de acero o de cemento armado en el terreno, y se construye encima de ellos el edificio. Estos postes de acero se llaman pilotes. A veces se taladran unos profundos agujeros donde debe asentarse el edificio. Se introducen unas barras de acero por esos agujeros y el espacio que queda alrededor se rellena con hormigón. Después, el edificio se construye encima.

Todas las grandes estructuras, incluyendo las carreteras, deben tener unos cimientos resistentes.

La torre inclinada de Pisa

Raquetas para la nieve

Introduciendo pilotes en un terreno

Muros

Aparejo inglés

Aparejo belga

Aparejo normando

Aparejo a tizón castellano

Cuatro formas diferentes de unir los ladrillos

Las dos paredes de un muro

Muchas casas tienen los muros de ladrillo.
Los ladrillos están hechos con arcilla. A la arcilla
se le da forma en un molde y después se cuece
en un horno grande.

Para hacer un muro, los ladrillos se unen con
mortero. El mortero es una pasta gris que se
obtiene mezclando cemento en polvo, arena y
agua. Los ladrillos se unen con mortero, de modo
que cada uno solapa con el de debajo.
Los ladrillos se solapan para que a lo largo
de la pared no existan juntas de unión seguidas.
La forma en la que se disponen los ladrillos
se denomina «aparejo». Hay varios tipos
de aparejos, esto es, de unir los ladrillos.
En la figura puedes ver algunas.

El muro de una casa normalmente lo forman
dos paredes separadas por una cámara de aire.
Esto se hace para conservar la temperatura de la
casa. En las casas modernas y en los edificios de
ladrillo la pared interna está construida
frecuentemente con bloques de hormigón o con
bloques ligeros. Se utilizan éstos porque
conservan el calor mejor que los ladrillos.
También porque son más baratos y se pueden
colocar más deprisa. A intervalos, entre la pared
externa y la interna, el constructor pone tirantas
de metal en el mortero. Estos trozos de metal
mantienen unidas ambas paredes, fortaleciendo
el conjunto. En la actualidad, la cámara entre las
dos paredes se rellena con material aislante.
Eso impide que se escape el calor de la casa,
en invierno.

La impermeabilización de los muros

Las paredes de una casa tienen que estar impermeabilizadas. También deben mantener el interior de la casa templado en invierno y fresco en verano. La cámara aislante de las paredes ayuda a lograr esto último. Uno de los problemas de los ladrillos es que absorben el agua y se empapan. A veces el agua puede empapar toda la pared de ladrillo, desde el suelo hasta arriba. Para impedir que esto ocurra, las casas modernas tienen un sistema antihumedad. Éste consiste en una capa de pizarra, de plástico o de tela impermeable. El sistema antihumedad evita que el agua del suelo suba por los ladrillos. La cámara del muro impide que el agua pase de la pared externa a la interna. Las casas antiguas no suelen tener este sistema antihumedad, ni tampoco el método aislante de la doble pared.

En algunas casas se pueden ver desde la calle, cerca del suelo, rejillas de ventilación en el muro. Estas rejillas de ventilación se ponen en los muros de las casas que tienen suelos de madera en el piso inferior. La rejilla deja pasar el aire al espacio que queda por debajo del suelo de madera e impide que la humedad pudra el suelo.

Los muros de una casa son, a veces, muy bonitos. Algunos están recubiertos en parte por pizarra o azulejos. Otros están recubiertos por piezas de madera, y otros, por una ligera capa de cemento que posteriormente se pinta. No todos los muros son de ladrillo, algunos son de piedra: granito, caliza, arenisca, etc.
Otros son de hormigón, de madera, de metal o incluso de cristal.

Instalando un sistema antihumedad

Rejilla de ventilación

Diferentes tipos de muros

Tejados

tiras de madera donde
se clavan las tejas

tela aislante

tejas

armazón de
madera

interior del tejado de una casa

El tejado impide que la lluvia y la nieve entren en casa. Algunos son lisos, otros son curvos. Hay incluso algunos que tienen cúpulas o agujas, pero la mayoría de las casas normales tienen el tejado inclinado para que la lluvia y la nieve corran sin dificultad, lo que no ocurre con las terrazas y azoteas.

La ilustración muestra cómo se construye el tejado inclinado de una casa. El armazón de madera se recubre con tela impermeable. En los edificios grandes se utilizan, en vez de madera, vigas de hormigón armado o vigas de acero. El tejado se recubre con tejas o pizarras. Éstas se superponen como indica la figura. El tejado inclinado de una casa crea, debajo, una cámara de aire muy útil: mantiene la casa templada en invierno y fresca en verano.

Normalmente se pone una capa de material aislante bajo las maderas o hierros del tejado. También esto ayuda a mantener la casa templada en invierno y fresca en verano.

Los depósitos de agua se colocan en el espacio libre del tejado. Algunas casas antiguas tienen el tejado de paja. La paja es el tallo de algunas plantas, como el trigo, la cebada, etc. Las casas con techo de paja se mantienen templadas en invierno y frescas en verano. Los tejados de algunas iglesias y de algunos edificios antiguos y grandes están recubiertos con planchas de plomo o de cobre.
Para recoger el agua de lluvia de los tejados de las casas se usan canalones y tuberías de desagüe. Los tejados de algunas iglesias eliminan el agua de lluvia por las gárgolas.

tejado de paja

gárgola

¿Te acuerdas?

(Si no sabes las respuestas, búscalas en las páginas anteriores.)

1 ¿Qué es un esqueleto externo?

2 Nombra tres animales que no tengan esqueleto externo.

3 Nombra tres animales que posean esqueleto externo.

4 ¿Qué ocurre cuando un animal crece más que su esqueleto externo?

5 ¿Qué tienen todos los animales vertebrados?

6 Enumera seis animales vertebrados.

7 Da tres razones por las que es importante el esqueleto óseo.

8 ¿Por qué son huecos los huesos largos de nuestro esqueleto?

9 ¿Cuáles son las tres partes principales de un árbol?

10 ¿Por qué son tan importantes las raíces de los árboles?

11 ¿Por qué las paredes de una casa se construyen sobre una base de hormigón más ancha que ellas?

12 ¿Por qué cuesta trabajo sacar un clavo de un trozo de madera?

13 ¿Cómo son los cimientos de los edificios altos?

14 ¿Cómo se fabrican los ladrillos?

15 ¿Por qué los muros de una casa están constituidos por dos paredes con una cámara de aire intermedia?

16 ¿Por qué el constructor pone tirantas de metal entre las paredes interna y externa de un muro?

17 ¿En qué consiste un sistema antihumedad y para qué sirve?

18 ¿A qué se llama tejado inclinado?

19 ¿Por qué se pone material aislante entre las maderas del tejado de una casa?

20 ¿Cómo se recoge el agua de lluvia de los tejados de las casas?

Cosas para hacer

1 Escribe una historia. Escribe una historia acerca de un cangrejo que creció más que su caparazón. ¿Qué hace el cangrejo y a qué peligros se enfrenta hasta que le crezca un caparazón nuevo y más grande?

2 Haz una colección de conchas. Colecciona conchas marinas y conchas vacías de caracoles. Lávalas en agua jabonosa caliente, acláralas en agua limpia y sécalas. Si quieres que las conchas mantengan un aspecto «húmedo», dales una fina capa de aceite lubricante ligero.

Observa cada una de las conchas para ver cómo están hechas y dónde vivía el animal. Averigua todo lo que puedas sobre la vida del animal que construyó la concha. Expón las conchas, colocándolas en cajas de cerillas, sobre unas cartulinas o en unas cajas de puros. Junto a cada concha anota el nombre del animal que construyó la concha y dónde y cuándo la encontraste.

3 Los huesos fugitivos. Imagínate que te despiertas una mañana y todos tus huesos han desaparecido. Escribe una historia describiendo qué aspecto tienes, lo que haces y cómo consigues recuperar tus huesos.

4 Construcción sobre pilotes. Como vimos en la página 6, los edificios altos se construyen sobre pilotes. Esto no es algo nuevo ya que en la antigüedad las casas se construían en el agua o sobre suelo pantanoso para protegerse sus habitantes de los animales salvajes y de los enemigos. Las casas se levantaban sobre pilotes que sostenían una plataforma. Todavía se construye así en algunas partes del mundo, por ejemplo, en África occidental.

Utiliza pajas de beber, palillos de dientes, plastilina y hierbas secas para construir la maqueta de una choza sobre pilotes. Colecciona ilustraciones de casas construidas sobre pilotes y úsalas para hacer un mural.

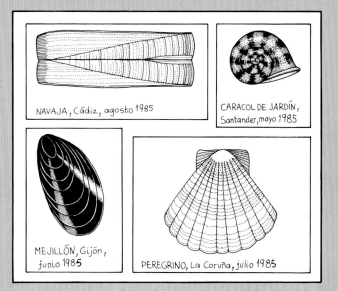

NAVAJA, Cádiz, agosto 1985

CARACOL DE JARDÍN, Santander, mayo 1985

MEJILLÓN, Gijón, junio 1985

PEREGRINO, La Coruña, julio 1985

5 Marcos de ventanas. Hasta hace poco tiempo, la mayoría de las casas y otras edificaciones tenían los marcos de las ventanas de madera. Hoy día se utilizan marcos de aluminio o de distintos tipos de plástico, como el PVC. ¿Por qué se dice que son mejores estos marcos que los antiguos de madera? Lee los anuncios para enterarte de sus ventajas.

6   Haz una colección de ladrillos. Monta en tu clase una exposición de diferentes tipos de ladrillos. ¿Qué diferencias hay entre ellos? ¿Cuántos colores y texturas diferentes presentan? ¿Tienen todos la misma forma y peso? ¿Qué diferentes tipos de agujeros y de estilos hay en ellos? ¿Podrías averiguar dónde se fabricaron?

7   Fabrica unos ladrillos. Coge arcilla y dale la forma de un ladrillo. Mídelo y pésalo, y a continuación déjalo que se seque al sol o encima de un radiador. Si en tu colegio tenéis un horno, puedes cocer el ladrillo después de haberlo secado. Mídelo y pésalo después de que esté seco y cocido. ¿Ha variado el tamaño y el peso? ¿A qué crees que se debe?

Fabrica ladrillos con arcilla de diferentes lugares.

8   La solidez de un muro de ladrillos. Construye dos paredes con piezas de *Lego* o de un juguete similar. En una de ellas haz que los ladrillos se solapen como en una pared de verdad. En la otra, colócalos en filas rectas.

Haz un experimento para ver cuál de las dos paredes es más fuerte. Por ejemplo, deja

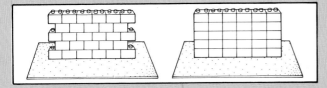

que una pelota ruede por una pendiente y se dirija, alternativamente, contra cada una de las dos paredes. A lo mejor se te ocurre otra forma de hacer el experimento. Por ejemplo, ¿cómo simularías un terremoto?

9   La construcción de una casa. Describe cómo se construye una casa. Incluye estas palabras en la descripción:

arquitecto, cimientos, andamios, electricistas, fontaneros, albañiles, hormigón, aislamiento.

10   Tu casa ideal. Imagínate que le pides a un arquitecto que construya tu casa ideal. Haz una lista de todas las cosas que querrías que tuviera. ¿Qué materiales utilizaría para construirla? ¿Cómo se calentaría? ¿Dónde estaría construida? Traza los planos y haz un dibujo de tu casa.

11   Colecciona sellos. A veces en los sellos de correos aparecen edificios, puentes y otras construcciones. Escoge seis sellos limpios y bonitos que tengan edificaciones. Móntalos con cuidado en una hoja de papel. Al lado de cada uno escribe una breve descripción del mismo.

12   Haz animales de patata. Coge una patata pequeña. Empléala para hacer el cuerpo del animal. La cabeza podría ser una bellota o un corcho. Usa palos de cerillas para hacer las patas. Pon las patas verticalmente. Suavemente empuja al animal. A continuación

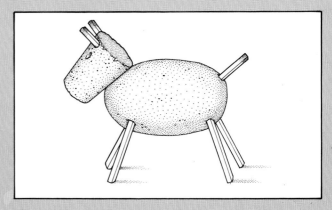

quita los palos de cerillas y pínchalos
otra vez, pero ahora de forma que
queden algo abiertas hacia afuera.
Suavemente, empuja al animal.

¿Qué tipo de patas —las verticales o las
inclinadas— son las más estables? Ahora
explica por qué las torres de electricidad
y los faros son más anchos por su base
que por su parte superior.

13   Construcciones con papel de periódico.
Es divertido hacer construcciones con papel
de periódico. Los edificios resultan bastante
sólidos. Por ejemplo, no habrás pensado que
tres o cuatro hojas de papel de periódico son
capaces de soportar el peso de un ladrillo.
No lo harán, naturalmente, si las hojas están
extendidas. Pero si las enrollas formando un
tubo y las pegas con celo, pueden soportar
muy bien el peso de un ladrillo. Si se pegan
juntos, con celo, varios rollos de papel de
periódico, forman un conjunto muy resistente.

Utiliza tubos de papel de periódico para
construir maquetas de torres, puentes y otras
estructuras. Pinta las maquetas cuando estén
terminadas. ¿Cuál es la torre más grande que
eres capaz de construir con rollos de papel
de periódico?

14   Visita un edificio en construcción. Las
zonas de los edificios en construcción son
peligrosas, y no debes entrar nunca solo
o sin permiso. A lo mejor tu profesor o tu
padre pueden concertar una visita a un
edificio en construcción. Algunas obras
grandes disponen de plataformas de
observación, desde las cuales puedes ver
todo lo que hacen, sin ningún peligro.

Toma notas acerca de lo que se está
construyendo. ¿De qué están hechos los
cimientos? ¿Qué profundidad tienen los
agujeros? ¿Qué materiales de construcción
ves por allí? ¿Cómo se transportan hasta
donde se necesitan? ¿Cómo suben los
obreros hasta lo alto del edificio? ¿Qué ropa
especial y otros objetos de protección llevan
puestos los obreros?

Haz unos dibujos de las máquinas que
veas. Di para qué se utilizan.

Puentes

Los puentes nos permiten cruzar los ríos. También salvan desfiladeros y valles. Los puentes son de muchas formas y tamaños. Para construirlos se emplean diversos materiales.

El primer puente que existió fue, probablemente, un árbol caído sobre un arroyo. Más tarde se emplearía un tablón para hacer de puente sobre un riachuelo. Unos tablones colocados sobre unas pilas de piedras superpuestas permitían atravesar arroyos más anchos. Pero la madera se pudre pronto. Por eso se construyeron puentes con losas de piedra colocadas sobre varios puntos de apoyo, formados también por piedras superpuestas.

Muchos puentes modernos son del mismo tipo que los antiguos puentes de losas o tablones. Estructuras metálicas o vigas de hormigón armado salvan carreteras, ríos o vías férreas. Los puentes de este tipo son bastante baratos. Se denominan puentes de viga. A veces, el puente de viga aumenta su solidez gracias a unos soportes de metal o armazones a ambos lados del puente que forman una estructura vertical llamada parapeto.

Puente de losas

Puente moderno

Puentes de arco

Puente de muchos arcos

parapeto

piedra angular

Puente de arco

El puente del puerto de Sidney

Otro tipo de puente es el de arco. Los primeros que lo construyeron fueron los romanos. Lo hacían con arcos de ladrillo o piedra. Al principio, el puente constaba de toda una serie de arcos. Pero a medida que los artesanos adquirían más experiencia, construían puentes con menos arcos pero más grandes.

Los puentes de arco construidos con ladrillos adquieren su solidez gracias al apoyo que cada ladrillo proporciona a los ladrillos que tiene a ambos lados. Los ladrillos o las piedras suelen tener forma de cuña. La piedra angular que está en el centro del arco es, normalmente, más grande que el resto y está presionada por las dos partes del puente que están a cada lado de ella. El arco tiene que estar apoyado firmemente en sus dos extremos, para impedir que se venga abajo cuando pasa sobre él un camión pesado.

El puente del puerto de Sidney, en Australia, es el puente de arco más pesado y grande del mundo. Los modernos puentes de arco de acero llevan normalmente las carreteras y las vías férreas colgadas del arco en lugar de estar sobre él. El puente del puerto de Sidney es de este tipo. Es de acero y sostiene cuatro vías de ferrocarril y una amplia carretera.

Puentes voladizos y puentes colgantes

Otro tipo de puente es el puente voladizo. En este caso la carretera o la vía de tren van sobre unas grandes estructuras metálicas o vigas de hormigón armado. Estas estructuras o vigas descansan sobre grandes escuadras llamadas ménsulas, o vigas voladizas, que se elevan sobre las orillas del río. Las ménsulas actúan como las resistentes escuadras de un estante. El puente ferroviario de Forth, en Escocia, es un gran puente voladizo. Los grandes brazos voladizos se equilibran uno a otro. Las ménsulas están apoyadas sobre unas grandes torres.

El puente ferroviario de Forth, en Escocia

La mayoría de los puentes del mundo son puentes colgantes. Los puentes de este tipo son muy llamativos, y constituyen una forma segura de salvar un amplio brazo de agua. Este tipo de puente se construye en aquellos lugares donde no es posible construir torres de soporte próximas entre sí. La parte principal del puente colgante consiste en un par de torres. Dos pesados cables pasan por la parte superior de las torres. Los cables se anclan firmemente a cada orilla. Estos se comban debido a su tremendo peso. Por medio de cadenas, barras o gruesos alambres se cuelga de los cables una carretera o una vía férrea. El puente colgante se apoya en las dos torres de soporte, por lo que éstas deben ser muy sólidas y tener cimientos firmes. El puente de carretera de Forth, en Escocia, es un puente de este tipo, al igual que el de Severn y el de Humber.

El puente de Severn

Puentes levadizos

Algunos puentes tienen una parte móvil, para permitir que los barcos pasen por debajo de ellos. En la figura puedes ver un puente levadizo.

Carreteras

¿Qué se podría hacer para que estas carreteras fueran más seguras?

Una carretera moderna

Son innumerables los usuarios de las carreteras. La gente que va en coches, camiones y autobuses se desplaza de un lugar a otro por carreteras, al igual que los ciclistas y los peatones. Los tractores y los animales de tiro, a veces, utilizan también las carreteras.

Muchas carreteras actuales están construidas sobre lo que en otro tiempo fueron caminos de tierra. Sobre los caminos se echó una capa dura de grava mezclada con alquitrán. Pero como cada vez utilizan las carreteras más y más vehículos, y algunos son muy pesados, esas carreteras se agrietan. Por ello, las carreteras modernas están mejor hechas y pueden aguantar pesos mucho más grandes.

Cuando se construye una carretera nueva, topógrafos e ingenieros inspeccionan todos los tramos de la ruta que va a seguir. Los topógrafos miden alturas y distancias y levantan planos del terreno. Los ingenieros toman muestras del suelo y del subsuelo, haciendo agujeros en el terreno. Las muestras se analizan para saber qué tipos de rocas hay bajo la proyectada carretera. Así se pueden planificar mejor sus cimientos. Las rocas duras, como el granito, y la grava proporcionan un buen soporte a la carretera. Pero suelos blandos como la arena y la arcilla no pueden aguantar pesadas cargas. Por ello, donde haya rocas blandas se deberán poner cimientos sólidos.

La construcción de una carretera

Una vez que se ha decidido la ruta que va a seguir una carretera, el terreno es rebajado y allanado. Todos los árboles y edificios que se encuentren en el camino tienen que ser suprimidos. El suelo se allana con excavadoras y máquinas apisonadoras. En una carretera moderna no hay cuestas empinadas. Para hacer cortes en las montañas se utilizan explosivos y, luego, excavadoras. También se construyen terraplenes que cruzan los valles.

Una vez que se ha preparado el suelo, se necesitan otras máquinas que consiguen una superficie firme y nivelada. Primeramente se echa una capa de piedrecitas o de trozos de roca. Esta capa se apisona con pesados rodillos. Encima se colocan espesas capas de hormigón, reforzado con barras o mallas de acero. Sobre el hormigón se colocan varias capas de asfalto. A la superficie de la carretera se le da una inclinación o combadura hacia las cunetas para que el agua se deslice por ella. Todo esto tiene que realizarse en el orden correcto. Antes de colocar el homigón se ponen puntos de drenaje para que la carretera no se inunde cuando llueva. También van por dentro los cables eléctricos de las farolas y de las señalizaciones.

Una vez terminada la superficie de la carretera, quedan por pintar las líneas blancas y por poner los «ojos de gato». Se colocan también señalizaciones, luces y barreras. Finalmente, los lados en pendiente de la carretera se siembran de césped para que las tierras no sean arrastradas por las fuertes lluvias.

Construcción de una autopista

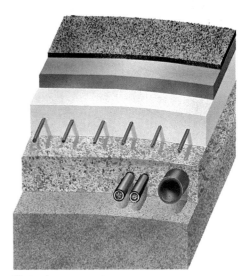

Corte de una carretera

«Ojos de gato»

Edificios altos

Los edificios altos necesitan buenos cimientos.

Los edificios altos son muy pesados y necesitan, por tanto, buenos cimientos. Estos edificios exigían antes unos muros sumamente gruesos. Recuerda el grosor de los muros de los castillos y de las viejas catedrales. Tenían que ser tan gruesos para poder soportar el enorme peso que gravitaba sobre ellos. Los muros de un rascacielos tendrían que ser muy gruesos si hoy se construyera como antiguamente; tanto, que en los pisos bajos no habría espacio libre.

Los edificios modernos altos se construyen normalmente con una estructura de acero muy sólida. Ésta sirve de apoyo a las paredes, al igual que el esqueleto sirve de apoyo a nuestro cuerpo. Con ese armazón de acero los muros del edificio no necesitan ser gruesos. Muchos edificios modernos tienen armazones no de acero sino de hormigón. Pero dentro de éste van unas barras de acero. Estos edificios altos tienen que resistir, aun en caso de vientos fuertes y terremotos.

Algunas torres de electricidad son muy altas. Tienen un armazón de barras y vigas de acero. El viento pasa a través de las torres sin derribarlas. De todas formas, la torre de electricidad es más ancha en la base y tiene unos sólidos cimientos de hormigón para impedir que se venga abajo.

Este faro tiene que resistir fuertes vientos y enormes olas. Es más ancho en la base para repartir el peso sobre un área más amplia. Debe tener cimientos muy sólidos. Es de forma redondeada, sin ángulos ni aristas, para que el viento y las olas resbalen por él más fácilmente.

Grúas

La grúa sirve para levantar grandes pesos. Funciona gracias a un torno elevador. Éste consiste en una serie de poleas como las que ves en la ilustración. En una grúa sencilla, las poleas superiores están fijas a la parte superior de un brazo largo llamado pluma. La elevación o el descenso de la carga se hace enrollando o soltando la cuerda o el cable.

Algunas grúas se pueden desplazar de un lugar a otro. Se mueven sobre ruedas, raíles, orugas, o incluso flotan en el agua. Otras están fijas en un sitio. La grúa de la primera ilustración se utiliza para construir barcos. Puede moverse sobre ruedas y raíles.

Sobre la enorme pluma, y en uno de sus extremos, está el torno elevador. La persona que acciona la grúa se sienta en una pequeña cabina, al otro extremo de la pluma. Debajo de la cabina hay un depósito que contiene bloques de cemento que nivelan el peso de la carga. La pluma puede realizar un giro completo. Debe ser lo más ligera posible, pero rígida. Esto se consigue construyéndola con un armazón de barras o vigas de acero, mejor que con una sola barra metálica muy gruesa.

Las grúas tienen que tener unos cimientos muy sólidos, o grandes pesos que nivelen la carga que esté en el gancho. La grúa móvil de la tercera ilustración tiene cuatro patas que se bajan cuando trabaja. Las patas quitan peso a las ruedas y amplían el área de la base de la grúa.

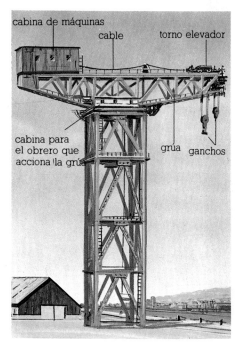

Pluma

Grúa de astilleros

Grúa móvil

Presas

Una presa es como un muro grande y grueso que cierra un valle por donde pasa un río o un arroyo. El agua se acumula detrás de la presa y forma un lago artificial llamado embalse. El embalse almacena agua para beber. También, en algunos países cálidos, el embalse proporciona agua para regar los campos de cultivo. A veces el agua del embalse se emplea también para mover turbinas y producir electricidad. Algunos embalses sirven para todas estas cosas juntas. Una central eléctrica que utiliza el agua para producir electricidad se llama central hidroeléctrica.

Una presa

Una presa con una carretera sobre ella

Las presas tienen que tener gran espesor y solidez, para poder retener el agua del embalse. Las presas pequeñas pueden estar hechas con un muro de tierra de pendiente suave. Algunas presas están construidas con bloques de piedra unidos con cemento. Pero las grandes presas están hechas con hormigón reforzado con acero (hormigón armado). La presa es siempre más gruesa en la base que en la parte superior. Esto se hace así porque el agua ejerce mayor presión en la base de la presa que en la parte superior. A veces pasa una carretera por encima de la presa. En este caso el agua fluye a través de unos agujeros que están en la parte superior de la presa, por debajo de la carretera.

¿Te acuerdas?

(Si no sabes las respuestas, búscalas en las páginas anteriores.)

1 ¿Para qué sirven los puentes?

2 ¿Cuál fue el primer puente?

3 ¿Cómo es un puente de losas?

4 ¿Cómo es un puente de viga?

5 ¿Qué es el parapeto de un puente?

6 ¿Cómo consiguen su solidez los puentes de arco fabricados con ladrillo?

7 ¿En qué se diferencian normalmente los modernos puentes de arco de acero de los antiguos puentes de arco de ladrillo o piedra?

8 ¿Qué son las ménsulas?

9 ¿Cómo se sostienen las ménsulas de un puente grande?

10 ¿Dónde se construyen los puentes colgantes?

11 ¿Cuáles son las principales partes de un puente colgante?

12 ¿De dónde cuelga la carretera en un puente colgante?

13 ¿Sobre qué se construían las antiguas carreteras?

14 Al construir una carretera, ¿por qué los ingenieros toman muestras del suelo y hacen agujeros en el terreno?

15 ¿Por qué en una carretera moderna no hay pendientes empinadas?

16 ¿Cómo están hechos los cimientos de una carretera?

17 ¿Qué se coloca sobre los cimientos de una carretera moderna?

18 ¿Por qué se siembra césped en los bordes en pendiente de una carretera?

19 ¿Por qué los modernos edificios altos se suelen construir con un armazón de acero?

20 ¿Por qué las torres de electricidad están hechas con un armazón de estructuras metálicas ligeras de acero?

21 ¿Por qué un faro tiene forma redondeada?

22 ¿Qué es un torno elevador?

23 ¿Qué usan las grúas altas para nivelar la carga que cuelga del gancho?

24 ¿Por qué el dique de una presa es siempre más grueso por su base que por su parte superior?

Cosas para hacer

1 Una maqueta de puente voladizo.

Construye una maqueta de puente voladizo. Usa para las torres dos tubos de cartón de aproximadamente 20 cm de largo. Para el resto del puente emplea cartulina fina y pega las piezas unas con otras. Haz el puente de unos 45 cm de largo.

¿Cómo puedes fortalecer el puente, ya terminado, para que pueda soportar pesos mayores? ¿Qué harás para evitar que las torres se vengan abajo?

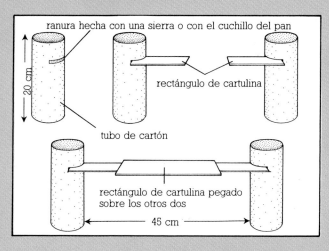

ranura hecha con una sierra o con el cuchillo del pan

rectángulo de cartulina

20 cm

tubo de cartón

rectángulo de cartulina pegado sobre los otros dos

45 cm

Construye otros puentes con piezas de *Lego* o de *Mecano*.

2 Colecciona ilustraciones de puentes.

De puentes que se abran, girando o elevándose, para permitir el paso de barcos por debajo de ellos. Haz un mural con ellas.

3 Haz la maqueta de un puente colgante.

Necesitarás dos trozos largos de soga, cuerda fina, un tablón largo y cuatro sillas viejas.

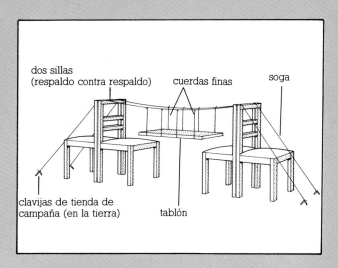

dos sillas
(respaldo contra respaldo)   cuerdas finas   soga

clavijas de tienda de campaña (en la tierra)   tablón

Trabaja en el jardín, o en el patio, o dentro de casa si tienes espacio.

Coloca los dos pares de sillas, respaldo contra respaldo. Coge las dos sogas largas, y fija sus extremos al suelo con pesas, ladrillos o bloques de hormigón. Si estás trabajando en el jardín o en el césped, puedes usar unas clavijas de tienda de campaña para fijar los extremos de las sogas. Pasa éstas por encima de las sillas como se muestra en el dibujo. Para que se queden fijas, átalas a los respaldos de las sillas con cuerda fina. Utiliza también esta cuerda para suspender de las dos sogas el tablón, que será la carretera del puente.

4 Escribe una poesía o una canción.

¿Conoces alguna canción que hable de algún puente famoso?

Escribe una poesía acerca de un puente sobre cualquier río de España. Ponle música a la poesía. ¿Qué instrumentos utilizarás para imitar el ruido de los coches, de los trenes o del río que pasa bajo el puente? Si sabes, escribe la música en una partitura.

5   Nombres de ciudades y pueblos. Muchas ciudades y pueblos nacieron junto a puentes construidos sobre ríos. Por ejemplo, Puente Genil, Puentedeume, Puente la Reina, etc. ¿Conoces otros? Haz una lista.

Utiliza un mapa de carreteras o un atlas que señale los ríos. Busca un río grande. A continuación sigue su curso y ve apuntando el nombre de los pueblos por donde pase que lleven la palabra «puente». Después haz lo mismo con otros ríos.

Un vado es una parte del río en la que el agua tiene tan poca profundidad que se puede cruzar fácilmente. ¿Cuántos nombres de pueblos puedes encontrar con la palabra «vado» o «paso» en ellos?

6   La maqueta de una carretera. Es divertido hacer la maqueta de una carretera y usarla con tus coches y trenes de juguete. Constrúyela con una tira de cartulina colocada sobre una base, también de cartulina, pero más ancha. Pinta en ella las líneas blancas y las aceras. Haz colinas y valles recortando las siluetas en poliestireno o utilizando cajas de cartón de diferentes formas y tamaños. Cúbrelas con papel *mârché* al que previamente le habrás dado un poco de pegamento o de engrudo. Haz puentes con cartón o con pajas de bebida, árboles con ramitas y bolas de algodón pintado de verde o con liquen, y señales de tráfico con cartón y pajas.

7   Un estudio del tráfico. Pide permiso para hacer un estudio del tráfico en una calle próxima a tu colegio o a tu casa. Trabaja junto con otros amigos. Uno puede contar el número de coches que van en una dirección. Otro puede contar los camiones y camionetas. Un tercero, otros vehículos como carros, autobuses o motos. Otro grupo de tres puede contar el tráfico que va en la dirección opuesta.

Anotad el número de vehículos que circulan en cada dirección durante un tiempo dado, por ejemplo, una hora.

Un buen método para contarlos es hacer cuatro palitos para los cuatro primeros coches, y una línea que los cruce para el quinto. Los grupos de cinco son fáciles de sumar una vez que hayáis terminado el trabajo.

¿A qué hora del día hay más tráfico? ¿En qué dirección es más abundante? ¿Qué tipo de vehículo es el que más abunda? ¿Es lo suficientemente ancha la calle para el tráfico que tiene? ¿Es fácil para los peatones cruzar la calle tranquilamente? ¿Cómo podría hacerse más segura la calle: *a)* para los vehículos, *b)* para los peatones?

8   Rascacielos. El edificio más alto del mundo es la Torre Sears, en Chicago, Estados Unidos de Norteamérica. Este bloque de oficinas tiene 443 m de altura.

Imagina que vives en lo alto de la Torre Sears. Escribe un día de tu vida allí. Cuenta lo que pasa cuando quieres ir al colegio, o si vas de compras y se te olvida algo. ¿Cómo es la vida en el edificio cuando sopla un vendaval o cuando hay una tormenta? ¿Qué pasa cuando un avión vuela por encima?

9   Pisos. ¿Conoces a alguien que viva en un bloque de pisos alto? ¿Le gusta vivir en un edificio alto? ¿Por qué? ¿Cómo se reparte la leche, el correo, los periódicos, etc., en los edificios altos? ¿Cómo se deshacen de la basura? ¿Existen medidas especiales para prevenir o apagar los incendios?

10   Colecciona ilustraciones. Haz una colección de ilustraciones de edificios altos. Utilízalas para confeccionar un álbum o un mural. Escribe una o dos frases sobre cada una de las ilustraciones.

11   Edificaciones especiales. En algunos edificios, como las casetas de señales de tren, los molinos de viento, las torres de control de aviación, las centrales eléctricas, los observatorios meteorológicos, los faros, las torres de perforación petrolíferas y las centrales telefónicas, se realizan unos trabajos especiales. Escoge tres de estos edificios y averigua todo lo que puedas sobre ellos. Colecciona ilustraciones de ellos. Escribe un artículo sobre el trabajo que se lleva a cabo en su interior y enriquécelo con tus ilustraciones.

12   Edificios antiguos. Colecciona ilustraciones de edificios antiguos. ¿De qué material están hechos? Pega los dibujos en un álbum o haz un mural con ellos. Escribe una o dos frases acerca de cada edificio, diciendo dónde está, por qué es famoso y de qué material está fabricado.

13   Tejados ondulados. Puedes hacer este experimento como un truco para enseñárselo a tus amigos en una fiesta.

Necesitas tres vasos del mismo tamaño, agua y una hoja de papel.

Llena los tres vasos con agua, al mismo nivel. Deja uno de ellos a un lado. Pon los otros dos sobre la mesa, a una distancia entre sí mayor que el diámetro del tercer vaso. Pon la hoja de papel sobre los dos vasos y pregunta a tus amigos si son capaces de colocar el tercer vaso sobre el papel, sin mover los otros dos.

¡Por supuesto que no podrán! El papel se hunde bajo el peso del vaso de agua.

La forma de hacerlo es coger la hoja y doblarla cuidadosamente en forma de acordeón. Asegúrate de que todos los dobleces tienen la misma anchura. Coloca el papel doblado sobre los dos vasos, como muestra la imagen, y verás que ahora es lo suficientemente fuerte como para aguantar al tercero.

Este experimento te ayudará a entender por qué unas finas hojas de hierro, de uralita o de plástico son unos tejados bastante resistentes si están onduladas (o *corrugadas*, como también se dice).

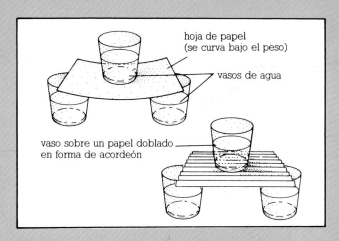

hoja de papel
(se curva bajo el peso)

vasos de agua

vaso sobre un papel doblado
en forma de acordeón

14   Presión de agua y profundidad. Coge
dos botes vacíos de detergente líquido. Los
dos deberán ser iguales. Corta la parte
superior de ambos.

Utiliza un clavo para hacer varios agujeros
a unos 2 cm del fondo de uno de los botes.
Llénalo con agua. ¿Alcanzarán todos los
chorros la misma distancia?

Ahora coge la otra botella. Haz una fila
vertical de agujeros, separados todos por la
misma distancia, en un lado del bote. Haz los
agujeros en línea como se muestra en el
dibujo. Cúbrelos con una tira de cinta
adhesiva. Llena la botella de agua. Despega
de golpe la cinta adhesiva y observa los
chorros de agua. ¿Cuál es el más largo?
¿Cuál es el más corto? ¿Por qué?
¿Comprendes ahora por qué el dique de una
presa tiene que tener mayor grosor en la
base?

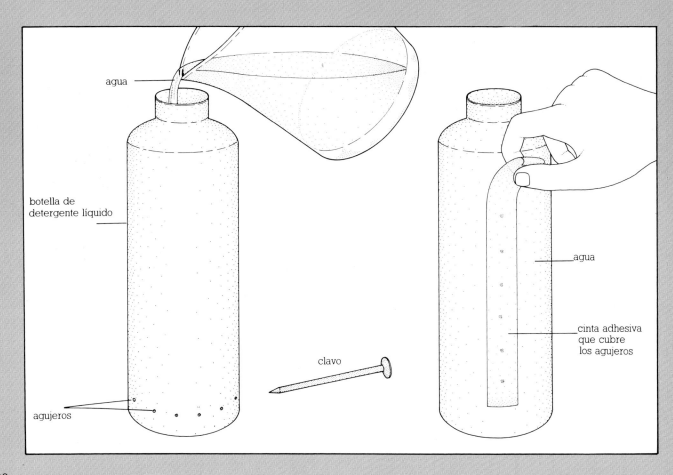

agua

botella de
detergente líquido

clavo

agua

cinta adhesiva
que cubre
los agujeros

agujeros

Experimentos

Haz los experimentos cuidadosamente. Escribe o dibuja lo que has hecho y lo que ocurre. Cuenta lo que has aprendido. Compara tus descubrimientos con los de tus compañeros.

1 Tallos de plantas y agua

Los tallos de las plantas (los troncos de los árboles son también tallos) absorben el agua por unos diminutos tubos. Esta agua procede del suelo. En este experimento veremos la forma en que las plantas absorben el agua.

Lo que necesitas: Tallos frescos de margaritas, narcisos, etc., o un tallo de apio con hojas en la punta; un tarro con agua limpia y fría; colorante alimenticio rojo o azul; una cuchilla afilada; una lupa.

Lo que puedes hacer: Coloca en un tarro con agua, a la que le habrás añadido un poco de colorante alimenticio, uno o varios tallos. Deja el tarro en la repisa de una ventana soleada. ¿Qué ocurre? Si el tallo tiene flores, ¿qué les pasa a éstas?

Corta una rodaja fina, cerca del extremo inferior del tallo. Mírala con una lupa. ¿Qué ves? ¿Cómo están dispuestos los diminutos tubos por los que asciende el agua en el interior del tallo?

2 ¿Es muy fuerte la cáscara de un huevo?

Una estructura natural es la cáscara del huevo. ¿Pero es esta estructura tan frágil como parece?

Lo que necesitas: Un trozo de tela; una lámina fina de cartón duro o una tarjeta dura (una postal servirá); cuatro mitades vacías de cáscaras de huevo; unas tijeras; libros; un peso.

Lo que puedes hacer: Coloca el trozo de tela sobre la mesa. Coge una de las cáscaras e iguala con las tijeras sus bordes, para que queden lisos. Deja la cáscara de huevo boca abajo, sobre el trozo de tela. Haz lo mismo con las otras tres mitades de cáscaras de huevo.

Ahora coloca el trozo de cartón, o la postal, encima de las cáscaras de huevo. Colócalas de forma que quede una bajo cada esquina de la postal o del cartón. Con cuidado pon un libro encima de este cartón, después otro y así sucesivamente.

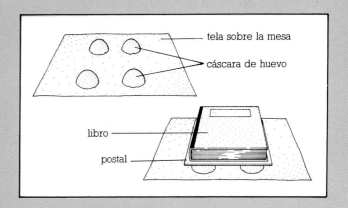

¿Cuántos libros puedes apilar sin que las cáscaras de huevo se rompan?

Pesa los libros, más el trozo de cartón o la postal. Si divides el peso por cuatro, sabrás el peso que puede soportar una cáscara de huevo.

Repite el experimento para averiguar si las cáscaras marrones son más resistentes que las blancas.

Las cáscaras de huevo utilizadas en este experimento tienen forma de arco. ¿En qué otro sitio de este libro te has encontrado con una forma de arco que sea resistente?

3 Ladrillos y humedad

¿Qué pasa cuando un ladrillo se humedece?

Lo que necesitas: Un ladrillo seco; un recipiente con agua; un peso.

Lo que puedes hacer: Pesa el ladrillo seco y a continuación mételo en el recipiente con agua. Déjalo ahí toda la noche. Al día siguiente, deja escurrir el ladrillo y pésalo otra vez. ¿Pesa más o menos ahora que cuando estaba seco?

¿Qué le ocurriría a la pared de ladrillos de una casa en un clima muy húmedo? ¿Por qué motivo se deja una cámara entre la pared interna y la externa de ladrillo, de un edificio?

Haz este experimento con otros tipos de ladrillos. ¿Se comportan todos de la misma manera cuando se mojan con agua?

4 Cómo funciona un sistema antihumedad

Lo que necesitas: Un recipiente con agua; cuatro ladrillos secos y limpios; una lámina de goma, polietileno o tela impermeable.

Lo que puedes hacer: Pon en el recipiente agua, de forma que ésta alcance unos 3 ó 4 cm de altura. Con cuidado introduce horizontalmente un ladrillo en el agua. El agua deberá cubrir buena parte del ladrillo, pero no del todo. Ahora coloca otro ladrillo sobre el primero. Déjalos así hasta el día siguiente.

¿Qué les ha ocurrido a los dos ladrillos? ¿Qué ha pasado con el nivel del agua del recipiente? ¿Por qué?

Repite el experimento con dos ladrillos secos. Esta vez pon una lámina de goma, polietileno o tela impermeable entre los dos ladrillos. Mira los ladrillos al día siguiente. ¿Qué le ha pasado al ladrillo inferior? ¿Y al superior? ¿Qué le ha ocurrido al nivel del agua del recipiente?

¿Entiendes ahora cómo funciona el sistema antihumedad de una casa? ¿Qué otros materiales podrían utilizarse en un sistema antihumedad además del polietileno, goma o tela impermeable? Experimenta con diferentes materiales para averiguarlo.

Para que el experimento sea válido y responda más a la realidad, los ladrillos superior e inferior deberían estar unidos con cemento. ¿Puedes hacerlo?

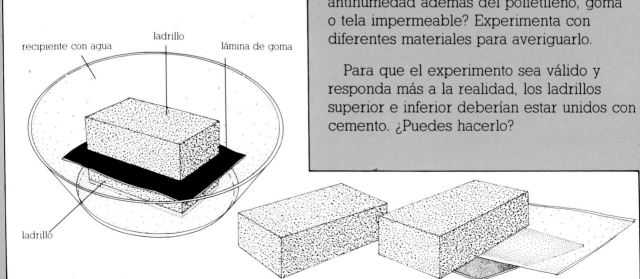

recipiente con agua   ladrillo   lámina de goma

ladrillo

5 Un experimento con poleas

Las poleas facilitan la labor de elevar cargas pesadas. Una grúa funciona porque tiene una o más poleas en el extremo de la pluma. En este experimento veremos cómo funcionan las poleas.

Lo que necesitas: Un carrete de hilo; un clavo largo; un trozo de alambre; un palo; cuerda; un peso; un dinamómetro.

Lo que puedes hacer: Pasa el clavo por el centro del carrete. Asegúrate de que éste puede girar libremente. Fija el alambre a los dos extremos del clavo, como se ve en la figura. Mantén el alambre a cierta distancia del carrete. ¡Has construido una polea!

Apoya el palo entre dos mesas o dos sillas. Ata la polea al centro del palo con un trozo de cuerda. Coge otro trozo de cuerda y ata uno de sus extremos al peso; el otro pásalo por encima de la polea que has hecho con el carrete de hilo.

Tira de la cuerda hacia abajo para levantar el peso. ¿Es más fácil levantarlo así que utilizando sólo las manos? Podrías averiguarlo si pudieras pedir prestado un dinamómetro. Primero ata el peso al dinamómetro y empléalo para levantar el peso directamente. Mira lo que marca. Luego, ata el dinamómetro a la cuerda que pasa por encima de la polea. Ata el peso al otro extremo de la cuerda y tira con el dinamómetro.

¿Cuánto marca? Estas medidas corresponden al esfuerzo realizado para levantar el peso.

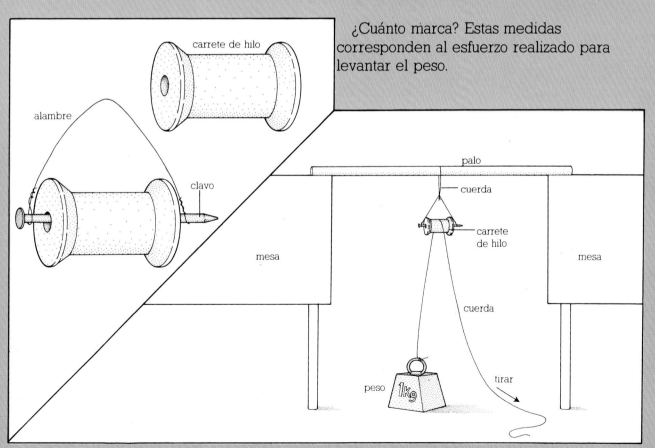

carrete de hilo

alambre

clavo

mesa

palo

cuerda

carrete
de hilo

mesa

cuerda

peso 1Kg

tirar

6 ¿Cuánto peso es capaz de levantar una grúa?

Lo que necesitas: Una botella vacía de detergente líquido; dos reglas de 30 cm y una de 15 cm; un recipiente pequeño de yogur; un clavo; cuerda fina o alambre; canicas o pesos de 10 gramos.

Lo que puedes hacer: Corta la parte superior de la botella como se muestra en la ilustración. Pídele a una persona mayor que haga tres ranuras en la botella, utilizando un cuchillo afilado o una cuchilla de afeitar. Una de las ranuras deberá estar a una altura de dos tercios o tres cuartas partes de la altura total de la botella. Las otras dos ranuras deberán estar colocadas en lugares opuestos, próximos al fondo de la botella.

Mete una de las reglas de 30 cm por la ranura superior que está en uno de los lados de la botella. Ésta será la pluma de la grúa. Haz con un clavo tres agujeritos alrededor del borde del recipiente de yogur y átalo como indica la figura. Fija la cuerda o el alambre a la pluma, atándolo o pegándolo con papel celo.

Prueba tu grúa poniendo canicas o pesos en el recipiente de yogur, uno por uno, hasta que la grúa se vuelque. Anota la carga máxima que la grúa puede soportar sin volcarse.

Ahora averigua lo que ocurre si pones 10 canicas, o pesos de 10 gramos, dentro de la grúa para que hagan de lastre. Carga la grúa hasta que se vuelque. ¿Qué peso aguanta sin venirse abajo?

Quita el lastre de la grúa y mete la regla de 15 cm a través de la ranura que hay cerca del fondo de la grúa. Por cada lado debe sobresalir la misma longitud de regla. ¿Qué peso puede soportar la grúa sin volcarse?

Haz esta parte del experimento otra vez, con una regla de 30 cm colocada en la parte inferior de la grúa. ¿Qué peso máximo puede soportar ahora la grúa antes de volcar?

¿Cómo aguanta la grúa un mayor peso: con lastre dentro o con la regla de la base?

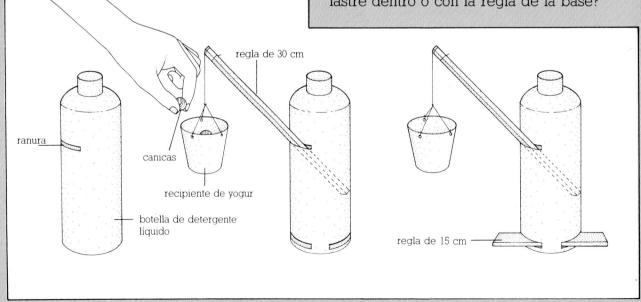

ranura

regla de 30 cm

canicas

recipiente de yogur

botella de detergente líquido

regla de 15 cm

7 Formas resistentes

Lo que necesitas: Algunos libros (lo ideal es que sean todos del mismo tamaño y grosor); una regla; varios trozos de una misma hoja de cartulina fina o de papel duro, cada uno de 20 por 4 cm; una grapadora; pegamento; celo; monedas o pesos; una tapadera metálica.

Lo que puedes hacer: Utiliza dos libros del mismo tamaño o dos pilas de libros de la misma altura. Coloca los libros de forma que quede un espacio de 15 cm de distancia entre ellos.

Utiliza dos trozos de cartulina o papel duro para hacer un puente. Emplea una regla para comprobar que el trozo de cartulina que descansa sobre cada libro es de la misma longitud. Con cuidado ve colocando monedas, o pesos, en la tapadera metálica, hasta que el puente se curve. Anota el peso que hace falta para ello.

A continuación acerca los libros hasta que estén separados sólo 10 cm. Repite con dos trozos nuevos de cartulina o papel duro. Ahora que el puente es más estrecho, ¿es más resistente? ¿O menos?

Separa los libros de forma que queden otra vez a 15 cm. Utiliza la misma tapadera metálica y los pesos para ver si el puente es más resistente o más débil cuando las dos hojas de cartulina o de papel están grapadas o pegadas entre sí.

Prueba las otras formas de puente que se ven en la figura. Anota cuánto peso hace falta para que se curve cada tipo de puente. Di por qué crees que los nuevos puentes que has probado son más resistentes, o más débiles, que el primero.

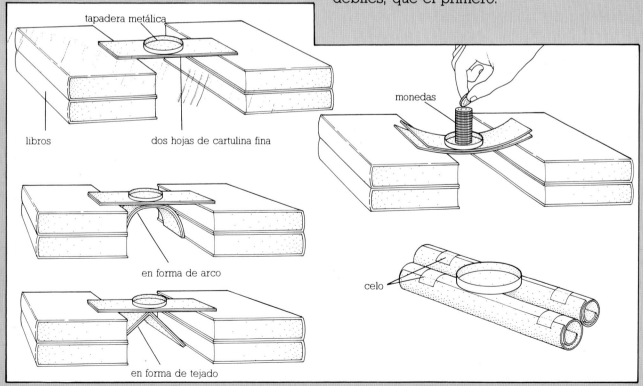

tapadera metálica

libros

dos hojas de cartulina fina

monedas

en forma de arco

celo

en forma de tejado

Glosario

Aquí tienes el significado de algunas palabras que, acaso, has encontrado por primera vez en este libro:

Aparejo: La forma como están dispuestos los ladrillos o piedras en una pared.

Central hidroeléctrica: Una central eléctrica que utiliza la fuerza del agua para mover los generadores, que producen electricidad.

Cimientos: La parte inferior de un edificio; normalmente está por debajo del nivel del suelo.

Copa: La parte superior del árbol, por encima del tronco. La copa está formada por las ramas, ramitas y hojas.

Embalse: Un lago artificial en el que se almacena el agua para beber, para producir electricidad o para regar los campos.

Esqueleto: El armazón duro, interno, de huesos (o la concha externa o la piel dura) que soporta (o encierra) el cuerpo de un animal.

Gárgola: Un canalón, adornado con una cabeza humana o de animal, que recoge el agua del tejado, alejándola de los muros del edificio.

Invertebrado: Animal que carece de columna vertebral dentro de su cuerpo. La mayoría de los animales invertebrados son pequeños. Algunos invertebrados carecen por completo de esqueleto; otros tienen una concha o una piel dura en el exterior (esqueleto exterior).

Médula: Sustancia que está dentro de los huesos largos; tiene aspecto de gelatina. Ella fabrica los glóbulos rojos de la sangre.

Ménsulas: Grandes escuadras colocadas a ambos lados de la orilla de un río y sobre las cuales se apoya un puente.

Parapeto: El muro o soportes metálicos verticales, a los lados de un puente.

Piedra angular: Piedra grande, en forma de cuña, que está justo en el centro del arco de un puente y que mantiene unido el conjunto.

Pluma: El largo brazo de la grúa.

Presa: Un muro grande y grueso que cierra un valle por el que pasa un río o un arroyo. El agua es retenida por la presa y forma un embalse.

Sistema antihumedad: Algún tipo de material impermeable que se coloca en la base de un muro e impide que el agua del suelo empape los ladrillos superiores.

Tirantas: Tiras de hierro que mantienen unidas las paredes interna y externa de un muro, haciendo que el conjunto quede más resistente.

Torno elevador: Conjunto de poleas que permiten a una grúa levantar grandes pesos.

Tronco: El tallo leñoso de un árbol.

Vertebrado: Animal con columna vertebral y esqueleto óseo dentro de su cuerpo.